FOLIO CADET

Traduit de l'anglais
par Vanessa Rubio

Maquette : Didier Gatepaille

ISBN : 2-07055908-4
Titre original : *A Wedding for Wiglaf*
Édition originale publiée par Grosset & Dunlap, Inc.,
une division de Putnam & Grosset Group, New York
© Kate McMullan, 1998, pour le texte
© Bill Basso, 1998, pour les illustrations
© Éditions Gallimard Jeunesse, 2001, pour la traduction
N° d'édition : 137298
Loi n° 49-956 du 16 juillet 1949
sur les publications destinées à la jeunesse
Premier dépôt légal : septembre 2001
Dépôt légal : Mars 2005
Imprimé en Espagne par NOVOPRINT (Barcelone)

Kate McMullan

L'ÉCOLE DES MASSACREURS DE DRAGONS 4

Une princesse pour Wiglaf

illustré par Bill Basso

GALLIMARD JEUNESSE

Pour Audrey Kubetin,
K. H. McM.

Chapitre premier

Wiglaf écarta une mèche de cheveux carotte collée à son front. Il faisait tellement chaud dans la cour de l'École des Massacreurs de Dragons que le professeur Baudruche avait permis à ses élèves de faire une petite pause. Wiglaf et les autres faisaient la queue devant le puits, attendant leur tour pour boire.

Pendant ce temps, le professeur leur racontait des histoires de sa jeunesse :

— Vous savez, mes petits gars, j'ai tué beaucoup de dragons. Ça, oui… mais je n'ai jamais oublié le premier. Il s'appelait Brûledur. Il crachait tant de flammes qu'il a fait fondre mon casque. Et brûlé tous mes cheveux. J'ai le crâne aussi lisse qu'une patate bouillie depuis. Mais ça ne m'a pas arrêté. J'ai dégainé mon épée comme un homme, un vrai ! J'ai foncé sur cette sale bête et hop ! dans le flanc gauche ! Ou peut-être dans le droit, je ne sais plus…

Le professeur Baudruche repoussa sa perruque pour se gratter la tête, l'air pensif.

Wiglaf espérait qu'il allait s'arrêter là. Il n'avait aucune envie de savoir comment Brûledur avait fini. Ces histoires de batailles sanglantes lui retournaient l'estomac.

— Wiglaf !

Il se retourna et vit son ami Angus qui l'interpellait de l'autre bout de la cour.

— Oncle Mordred veut te voir dans son bureau, tout de suite !

« Hein ? Pourquoi moi ? Qu'est-ce que j'ai fait ? » se demanda Wiglaf.

— Vas-y, mon petit gars, lui dit le professeur. Torblad te donnera les devoirs à faire.

— Adieu, Wiggie. Ravi de t'avoir connu, ricana Torblad.

Wiglaf partit en courant. Il était bien content de rater la fin du cours. En revanche, il n'était pas très rassuré d'être convoqué par le directeur de l'école, qui était pire qu'un dragon en colère.

En plus, il en voulait particulièrement à Wiglaf. Tout ça parce qu'il ne lui avait pas rapporté le trésor des deux dragons qu'il avait tués accidentellement.

Wiglaf rattrapa Angus et lui demanda :

— Tu sais ce que Mordred me veut ?

Son copain haussa les épaules.

— Il ne me l'a pas dit, mais il n'était pas en colère. En fait, il avait même l'air tout content.

— Content ?

Ça alors ! Mordred n'était JAMAIS content d'habitude.

Les garçons entrèrent dans le château et montèrent au bureau du directeur. Angus frappa à la porte.

– Entrez ! tonna une voix grave.

Les garçons obéirent et trouvèrent Mordred en train de lire *Le Monde médiéval*. Il portait une tunique de velours rouge brodée de dragons dorés.

– Ah, Wiglaf !

Le directeur posa son journal.

– Retourne travailler, Angus, reprit-il sans quitter Wiglaf des yeux. Je ne te paye pas pour que tu restes là à gober les mouches.

– Bien sûr, j'y vais, bafouilla-t-il en filant cirer les grosses bottes noires de son oncle.

– Ah, Wiglaf ! s'exclama de nouveau Mordred. Comment ça va, fiston ? En pleine forme, j'espère.

– Oui, merci, Messire.

Il se demandait pourquoi le directeur lui avait posé cette question. Ce n'était pas du tout son genre de s'inquiéter de la santé de ses élèves. Bien au contraire.

– Et comment va ton petit cochon ?

Daisy, c'est ça ? Elle se plaît dans le poulailler ?

— Oui, elle est très heureuse, Messire.

Ça, c'était encore plus fort ! Il n'aurait
jamais imaginé que Mordred était au courant de l'existence de Daisy. Wiglaf l'avait
amenée de chez lui parce qu'il ne pouvait
pas s'en séparer : c'était sa meilleure amie.
Il se demandait si le directeur savait qu'elle
avait été ensorcelée : maintenant, elle parlait le latin de cuisine.

— Dis-moi, tu as assez à manger ici ? Tu
veux que je demande à Potaufeu de te préparer son délicieux ragoût d'égout ?

— Non, non, surtout pas. Je n'ai pas faim,
Messire.

Angus les interrompit, une botte à la
main.

— Excuse-moi, oncle Mordred. Regarde,
on se voit dedans maintenant.

— Tu plaisantes ! rugit le directeur. Allez,
frotte encore. Il va falloir mettre un peu
d'huile de coude pour que ça brille !

Angus retourna à son travail en soupirant.

— Bon, voyons tes vêtements maintenant, mon petit Wiglaf, reprit Mordred. Lobelia, ma sœur, va te commander une nouvelle tunique et de belles chausses neuves.

— Quoi ? Mais je n'ai pas un sou !

— Ne t'inquiète pas pour ça, fiston, répliqua Mordred en souriant. C'est moi qui paye !

Ce n'était pas possible ! Il avait perdu la tête !

Le directeur de l'École des Massacreurs de Dragons était affreusement radin. Son seul but dans la vie était d'amasser le plus d'argent possible. Jamais, au grand jamais, il ne dépensait le moindre sou pour quelqu'un d'autre. Et surtout pas pour Wiglaf.

Soudain, quelqu'un frappa à la porte.

— Entrez !

Érica fit irruption dans le bureau, toute essoufflée. Pour pouvoir suivre les cours de l'École des Massacreurs de Dragons, elle s'habillait comme un garçon. Tout le monde là-bas l'appelait Éric car personne, à part Wiglaf, n'était au courant que c'était une fille. Et pas n'importe quelle fille ! Une princesse, rien que ça. La princesse Érica, fille de la reine Barb et du roi Ken.

— Messire ! cria-t-elle. Venez vite ! Torblad est tombé dans les douves et il ne sait pas nager !

— Torblad, tu dis ?

Mordred se gratta le menton pensivement.

— Je me demande s'il a payé son trimestre. Je vais vérifier dans mes comptes.

Il ouvrit un gros livre relié de cuir. Sur la couverture, on pouvait lire :

LE TRÉSOR DE MORDRED
TOP SECRET ! CONFIDENTIEL !
INTERDIT DE REGARDER !
JE NE RIGOLE PAS !

— Mm… C'est bien ce que je pensais, murmura le directeur. Torblad me doit les deux derniers trimestres.

Il referma le livre de comptes d'un seul coup.

— Vite ! S'il se noie, je ne verrai jamais la couleur de mon argent. Attends-moi ici, Wiglaf. Je reviens.

Il sortit de son bureau en courant, avec Érica sur ses talons.

Wiglaf se tourna vers Angus.

— Ton oncle est devenu fou. C'est la seule explication. Sinon pourquoi voudrait-il m'acheter de nouveaux vêtements ?

— Oh, il doit avoir une idée derrière la tête. Ne t'inquiète pas pour lui.

Angus posa la botte qu'il était en train de cirer pour prendre le journal.

— Tiens, on va voir si les Exterminateurs de Dragons ont battu les Chevaliers Sans Peur au grand tournoi.

Wiglaf l'arrêta.

— Attends. Regarde la première page !

Ensemble, les deux garçons lurent la une du journal.

QUI VEUT ÉPOUSER
LA PRINCESSE ROTOTO ?

La princesse milliardaire cherche un mari

Par notre correspondant aux États-Moisis, mercredi 8 juin

Il y a des années, la princesse Rototo a eu le cœur brisé : l'amour de sa vie est parti au beau milieu de la nuit sans une explication ! La princesse s'est alors enfermée dans sa tour du château de Bactéria et s'est consolée en comptant son or. Comme elle en a beaucoup, ça lui a pris du temps mais, la semaine dernière, elle est arrivée au bout de ses peines.

La princesse est ressortie au grand jour, bien décidée à trouver un mari !

« J'ai plus de douze billions en pièces d'or, a-t-elle déclaré. Maintenant, il me faut un compagnon pour m'aider à les dépenser. Les princes font bien savoir lorsqu'ils cherchent une épouse. Pourquoi les princesses n'auraient-elles pas le droit de faire de même ? »

La princesse a posé trois conditions : son futur mari devra exercer la noble profession de massacreur de dragons, avoir les cheveux roux et porter un nom commençant par W, sa lettre préférée.

« Celui qui me présentera le mari de mes rêves recevra une marmite pleine d'or en récompense », a promis la princesse.

Angus laissa échapper un sifflement admiratif.

– Dis donc, elle en a des sous, cette Rototo !

– Je me demande pourquoi son fiancé l'a laissée tomber, fit Wiglaf, l'air songeur.

Juste à ce moment, la porte du bureau s'ouvrit en grand. C'était Mordred qui revenait, trempé jusqu'aux os, les cheveux dégoulinants d'eau croupie.

– J'ai tiré Torblad du fossé, grommela-t-il, mais il a intérêt à me payer vite fait. Ou je le remets à l'eau moi-même, nom d'un dragon mouillé !

Soudain, ses yeux violets étincelèrent.

— Ah, vous avez lu le journal ! Alors elle te plaît, ma petite surprise, Wiglaf ?

— Quelle surprise, Messire ?

— Tu vas te marier, fiston !

Chapitre deux

Euh… pardon, Messire ? bafouilla Wiglaf. Je crois que je n'ai pas bien entendu.

– TU-VAS-BIEN-TÔT-TE-MA-RIER, répéta Mordred en appuyant sur chaque syllabe.

Wiglaf jeta un coup d'œil par-dessus son épaule.

Si ça se trouve, le directeur parlait à quelqu'un d'autre.

Mais il n'y avait personne derrière lui.

– Tu plaisantes, hein, oncle Mordred ? s'inquiéta Angus.

– Non, pas du tout !

Le directeur reprit le journal.

— La princesse Rototo exige que son futur mari soit un massacreur de dragons. Justement, Wiglaf en a tué deux.

— Mais je n'ai pas fait exprès, Messire, protesta Wiglaf. C'était un accident. La princesse veut sûrement un mari qui tue des dragons volontairement.

— Balivernes ! répliqua Mordred. La princesse Rototo veut un mari roux. Ça tombe bien, Wiglaf, tu es roux.

— Non, j'ai les cheveux orange, Messire.

— Ça ira très bien, rugit Mordred. Et maintenant, tu vas me dire que Wiglaf ne commence pas par un W, c'est ça ?

— Si, Messire, admit Wiglaf à contrecœur.

— Eh bien alors ! tonna le directeur. J'ai trouvé le mari qu'il lui faut, à cette princesse Rototo. À moi, la récompense !

Il se frotta les mains.

— Ah, je vais enfin devenir riche sans me donner aucun mal ! Plus besoin d'essayer de former des petits crétins sans cervelle pour qu'ils me rapportent l'or des dragons.

Il consulta le cadran solaire posé sur son bureau.

— Tu peux y aller, Wiglaf. Reviens après le dîner, quand Lobelia sera là. On préparera le mariage ensemble.

Wiglaf s'agenouilla.

— Je ne suis qu'un pauvre paysan ! Mes douze frères dégagent une puanteur atroce parce que mon père est persuadé que se laver rend fou ! Ma…

— Ne t'inquiète pas, Wiglaf, le coupa le directeur. Je te comprends.

Wiglaf se redressa, entrevoyant une lueur d'espoir.

— C'est vrai, Messire ?

— Mais oui, bien sûr, tu ne veux pas inviter ta famille au mariage.

— Euh… ce n'est pas exactement ce que je voulais dire, Messire. J'essayais de vous expliquer que je ne ferais pas du tout un bon ma… mar…

Il n'arrivait pas à prononcer le mot en entier.

— … enfin bref, que je ne conviendrais pas du tout à une princesse.

Mordred fronça les sourcils.

— Tu es un massacreur de dragons roux nommé Wiglaf. C'est exactement ce que veut la princesse. Je vais d'ailleurs la prévenir immédiatement. Et hop ! à moi la marmite d'or. Je me demande si elle est grosse…, ajouta-t-il rêveusement.

Tandis que le directeur restait les yeux dans le vague à imaginer sa récompense, les deux garçons se glissèrent hors du bureau. Ils filèrent au cours de Récurage.

— Tu crois que ton oncle peut vraiment m'obliger à me ma… à me mar…

Wiglaf avait beau essayer, il n'arrivait pas à le dire !

— … enfin, tu comprends. Tu crois qu'il peut m'obliger à faire ce truc, Angus ?

— En tout cas, il a l'air décidé.

Ils marchèrent un moment sans rien dire. Puis Angus reprit :

— Ne le prends pas mal, Wiglaf. Mais, de

toute façon, dès que la princesse t'aura vu, elle annulera le mariage.

– J'espère que tu as raison…

Mais Wiglaf était inquiet car quand Mordred avait une idée derrière la tête…

Les garçons étaient arrivés dans les cuisines de l'EMD.

– Allez, dépêchez-vous, les pressa Potaufeu. Le cours va commencer. Vous pensez peut-être que les techniques de nettoyage, c'est moins important que le maniement de l'épée. Mais attendez d'avoir tué votre premier dragon et on en reparlera ! Vous verrez comme c'est dégoûtant ces entrailles de dragon qui collent à la lame. Là, vous serez bien content d'avoir suivi le cours de Récurage du vieux Potaufeu.

Wiglaf rejoignit Érica tout au fond de la pièce. Elle était en train de gratter un plat de ragoût d'égout qui avait attaché.

« Ça, c'est Érica tout craché, elle a choisi la gamelle la plus sale ! se dit Wiglaf. Pas

étonnant qu'elle remporte la médaille de l'apprenti Massacreur de Dragons du mois à chaque fois. »

— Wiglaf ! s'écria-t-elle en apercevant son ami. Qu'est-ce que tu fabriquais dans le bureau de Mordred ?

— Je vais t'expliquer, chuchota Wiglaf. Mais je veux d'abord te demander quelque chose. Est-ce que vous, les princesses, vous… ?

— Chuuut ! gronda Érica. Si tu as dévoilé mon secret, je te…

— Non, je n'ai rien dit, je te le jure sur mon épée !

— Tu parles, ce vieux machin tout rouillé ?

— Ton secret est bien gardé, ne t'en fais pas, répliqua Wiglaf. Mais dis-moi, tu connais la princesse Rototo ?

— La princesse Rototo ! s'exclama Érica. Plusieurs élèves se retournèrent, surpris.

— Chuut ! souffla Wiglaf. Elle est comment ?

— Elle ne sort pas souvent de sa tour,

expliqua Érica, mais je l'ai vue une fois à un concours de princesses. D'ailleurs, c'est là que j'ai remporté le premier prix de combat à l'épée. C'est vrai, on n'était que deux à participer, mais quand même, j'ai…

— Super, la coupa Wiglaf, mais parle-moi un peu de la princesse Rototo, s'il te plaît, Érica.

— Si je me souviens bien, elle concourait dans la catégorie « musique ». Elle a chanté un truc triste. Ça s'appelait *Le Chevalier de mon cœur*, je crois. Mais pourquoi tu veux savoir tout ça ?

— Il y a un article sur elle dans le journal. Elle cherche un mari, paraît-il.

— Mm… La princesse Rototo est très…

Érica cherchait le mot juste.

— … comment dire ? Elle a beaucoup de caractère. Je plains son futur mari.

— Eh bien, justement, c'est moi ! gémit Wiglaf.

Et il lui raconta ce qui s'était passé dans le bureau du directeur.

— Mais moi, je ne veux pas me marier ! conclut-il. Je veux rester ici avec mes amis. Je veux devenir un chevalier sans peur et sans reproche. Je veux parcourir le royaume pour défendre la veuve et l'orphelin. Et soigner les pauvres petits animaux blessés…

Érica l'interrompit :

— Oui, oui, je sais, Wiglaf. Alors tu n'as qu'à le dire à Mordred !

— Mais la princesse a promis une marmite d'or à celui qui lui trouverait un mari roux, massacreur de dragons et dont le nom commence par un W, expliqua Wiglaf. Et Mordred s'est mis en tête d'obtenir la récompense.

— Ouh, là ! Il y a de l'or à gagner ? Bon, eh bien, tu n'as plus qu'à préparer ta valise pour le voyage de noces, mon petit Wiggie ! se moqua Érica.

Chapitre trois

Ce soir-là, Wiglaf avait un poids sur l'estomac, mais il ne savait pas si c'était à cause du ragoût d'égout du dîner ou à cause de ce projet de ma... mar... Oh, il ne voulait même pas y penser ! En sortant de la salle à manger, il se rendit dans le bureau de Mordred en traînant les pieds.

Le directeur lui ouvrit la porte avec un sourire réjoui.

– Voilà le futur marié, Lobelia ! annonça-t-il.

Elle sourit. Elle avait les mêmes yeux violets et les mêmes cheveux bruns que son frère, mais la ressemblance s'arrêtait là. Lobelia était toute mince et toujours habillée à la dernière mode.

— Assieds-toi, Wiglaf, ordonna Mordred en désignant une chaise de l'autre côté de son bureau.

Il lui tendit une feuille de parchemin et poursuivit :

— J'ai écrit à la princesse Rototo. Tiens, lis mon brouillon. Ensuite, j'irai dans cette pièce pleine de livres, comment dit-on déjà ?

— À la bibliothèque, Messire.

— Oui, c'est ça, ensuite j'irai à la bibliothèque le donner à Frère Dave pour qu'il me le recopie. Et je l'enverrai à la princesse.

Wiglaf prit la lettre d'une main tremblante et lut :

École des Massacreurs de Dragons,
Mercredi 8 juin
À l'attention de Sa ~~Richesse~~
Son Altesse Royale,
la princesse ~~Rich~~ *Rototo*
Château de Bactéria, États-Moisis

Chère princesse ~~Rich~~ Rototo,

J'ai appris dans la presse que vous recherchiez un mari. Je connais ~~un crétin un gamin~~ quelqu'un qui correspond en tous points à l'époux dont vous rêvez : il a tué deux dragons, il a les cheveux roux et il s'appelle Wiglaf de Pinwick.

Comme vous pouvez le constater, il répond à toutes vos exigences. Il ne vous reste donc plus qu'à venir le chercher pour l'épouser. Ne perdez pas de temps. Son cœur ~~tremble~~ ~~déraille~~ bat déjà pour vous d'un véritable amour.

Votre très dévoué,
Mordred le Merveilleux,
directeur de l'EMD
P.-S. : Wiglaf est le mari idéal, je vous l'assure. Alors venez vite avec votre marmite pleine d'or.

En effet, le cœur de Wiglaf battait à tout rompre. Pas d'amour, mais de peur !

Lobelia parcourut la lettre rapidement.

— Parfait, Mordie chéri.

Mordred tira une cordelette de velours violet. Une clochette retentit et, aussitôt, un professeur stagiaire se présenta à la porte du bureau.

Le directeur lui tendit le parchemin.

— Portez cela à Frère Dave. Et quand il aura fini de la recopier, donnez la lettre à Yorick, mon messager. Dites-lui de la remettre à la princesse Rototo au château de Bactéria dès ce soir.

« Ce soir ! » La gorge de Wiglaf se serra. Tout allait trop vite ! Beaucoup trop vite !

— Bon, maintenant, les préparatifs de mariage ! annonça Lobelia en tirant une liste de sa manche. La cérémonie aura lieu dans la roseraie.

Mordred fronça les sourcils.

— Quelle roseraie ?

— Celle que je vais faire planter dans la cour du château, répliqua sa sœur. Des roses orange assorties aux cheveux du marié. Et après la cérémonie, il y aura un banquet. Potaufeu et moi, nous avons préparé un menu sur le thème du W, la lettre préférée de la princesse Rototo. Il y aura du ragoût de wallaby, des wapitis rôtis, du pâté de wombat et des poires Williams flambées au whisky. Mais ne t'inquiète pas, ça ne reviendra pas très cher, Mordie.

— Ne regarde pas à la dépense, sœurette ! s'exclama Mordred. C'est un mariage princier, il faut ce qu'il faut ! Et puis, on mettra tout sur le compte de la princesse Rototo.

Lobelia hocha la tête.

— Bon, il faut que tu choisisses un garçon d'honneur, Wiglaf. Ton meilleur ami, par exemple. Celui que tu veux à tes côtés lorsque tu t'engageras pour la vie.

— Il faut que tu choisisses quelqu'un d'important, renchérit Mordred. Un grand personnage… quelqu'un comme moi, quoi.

Wiglaf écarquilla les yeux. S'il se retrouvait dans ce pétrin, c'était à cause de Mordred. Pas question qu'il le prenne comme garçon d'honneur ! Mais qui était son meilleur ami ? Daisy, son cochon. Wiglaf dut se retenir de rire en imaginant la tête que feraient Mordred et Lobelia s'il leur annonçait qu'il avait choisi Daisy. Un cochon d'honneur ! Ils penseraient qu'il était devenu fou.

Et soudain il réalisa que, justement, c'était ce qu'il fallait faire. Si Mordred et Lobelia pensaient qu'il était fou, ils abandonneraient leur projet de mariage.

— Je veux que mon meilleur ami soit à mes côtés pendant la cérémonie ! déclara-t-il.

— Très bien, approuva Lobelia. Dis-moi qui c'est que je puisse lui commander une tunique neuve.

— Mm… ça ne va pas être facile, répondit Wiglaf. C'est mon cochon, Daisy.

— Comment ça, ton cochon ? rugit Mordred. Nom d'un dragon, il n'en est pas question !

— Je veux que Daisy soit mon cochon d'honneur ! insista Wiglaf avec un sourire idiot (il espérait que ça lui donnait l'air d'un fou).

— Et moi, je te dis que je vais faire rôtir ton cochon à la broche pour le banquet de mariage ! répliqua le directeur.

— Calme-toi, Mordie. C'est sûr, ce cochon ne peut pas être le garçon d'honneur, affirma Lobelia. Mais Daisy pourrait porter les fleurs. Ce serait tellement mignon, tu imagines ?

— Tu as perdu la tête ou quoi ? gronda Mordred.

— Non, non, pas elle. Mais moi oui ! s'écria Wiglaf. Moi, j'ai complètement perdu les pédales, je vous assure !

Lobelia le fit taire

— Chut ! Je réfléchis… Oui, un cochon fleuri, ça, c'est follement original. Ça ne s'est jamais vu. Ça ferait du bruit ! Tout le monde parlerait de moi, la créatrice du cochon fleuri !

Wiglaf paniqua. Il n'avait pas du tout prévu ça. Maintenant Lobelia voulait vraiment que Daisy vienne au mariage ! Il fallait faire quelque chose et vite !

– Ah oui ! Ça, ça ferait du bruit ! s'exclama-t-il.

Et il se mit à imiter les cris stridents du cochon : oink, oink !

– Tais-toi, Wiglaf ! ordonna Lobelia. Excellent ! Excellent ! C'est une idée de génie de faire participer nos amis les animaux au mariage. On devrait peut-être même inviter les poules…

– Ouh là ! Je commence à avoir mal à la tête, moi ! grommela Mordred. Très bien, Lobelia, fais tout ce que tu veux, du moment que le mariage a lieu. Mais je te préviens…

Il leva un sourcil broussailleux d'un air menaçant.

– … rien ne doit empêcher la cérémonie. Je veux cette marmite d'or et je l'aurai, crois-moi !

Chapitre quatre

Wiglaf entra dans le dortoir en titubant de fatigue. Il était déjà tard mais Angus et Érica l'avaient attendu.

— Alors, comment ça s'est passé, Wiggie ? chuchota Érica. Tu as réussi à convaincre Mordred d'abandonner cette idée stupide ?

Wiglaf secoua la tête.

— Non, il a écrit à la princesse Rototo pour lui dire qu'il lui avait trouvé le mari idéal… moi ! À l'heure qu'il est, Yorick est déjà parti porter la lettre au château de Bactéria.

— Bah, essaye de voir le bon côté des choses, lui conseilla Angus. Tu vas devenir très riche.

— Tu parles, qu'est-ce que j'en ferai de cet argent, hein ? râla Wiglaf.

— Tu pourras commander la plus belle armure du catalogue de Messire Lancelot, suggéra Érica. Et même l'épée avec un pommeau en rubis !

Wiglaf se remémora la belle épée ornée d'une pierre précieuse qu'il avait vue dans le catalogue d'Érica. Oui, ça ne serait pas mal !

— Et fini le ragoût d'égout, fini les cours de Récurage, enchérit Angus.

— Je n'avais pas pensé à ça…

— Et tu seras entouré de gens qui seront aux petits soins pour toi, Wiggie, ajouta Érica. Je suis sûre que ça te plaira.

Wiglaf sourit.

— Bon, à partir de maintenant appelez-moi « prince Wiggie » !

Hélas, son sourire s'évanouit aussitôt.

— Mais je ne veux pas me mar… Oh, pourquoi Mordred a-t-il écrit cette lettre !

— Tu sais…, commença Angus, nous aussi, on pourrait écrire une lettre.

Érica se redressa tout d'un coup.

– Oui, et dedans, on décrirait tous les défauts de l'affreux Wiglaf de Pinwick.

– Génial ! s'écria Wiglaf. Allez, on l'écrit tout de suite !

Érica fouilla dans ses affaires et en tira une plume et du parchemin.

– C'est toi qui t'y colles, Angus, décida-t-elle. C'est toi qui écris le plus mal de nous trois.

– D'accord, soupira-t-il en s'installant par terre. Par quoi je commence ?

Wiglaf se mit à dicter :

– *Très chère princesse Rototo, un affreux personnage uniquement intéressé par votre argent vous a écrit pour vous proposer d'épouser un massacreur de dragons aux cheveux roux nommé Wiglaf de Pinwick. Il a affirmé que ce Wiglaf ferait un mari parfait. Mais il n'en est rien !*

– Je vais continuer, intervint Érica. Vas-y, écris, Angus. *Quand vous verrez Wiglaf,*

vous le reconnaîtrez à la magnifique ver-
rue qui orne le bout de son nez. J'espère
que vous aimez les chiens, car Wiglaf
n'arrête pas de baver et il a une haleine de
bouledogue. Ses dents sont disposées de
façon très originale dans sa bouche. Cer-
taines penchées vers la droite, d'autres
vers la gauche, ou pointées en avant
comme des défenses de sanglier.

— C'est bon, je crois que le portrait est
assez repoussant, remarqua Wiglaf. Passe
au caractère.

Érica hocha la tête.

— *Wiglaf est avare et affreusement*
égoïste. Il n'a aucune envie de se marier,
mais votre fortune l'a séduit. Sachez donc
qu'il compte vous épouser non pour votre
doux sourire mais pour votre argent.

Elle sourit, toute fière de cette dernière
phrase.

Wiglaf prit la plume pour signer au bas de
la lettre :

Un ami qui vous veut du bien, à l'EMD.

Il souffla pour faire sécher l'encre, puis roula le parchemin qu'Érica attacha avec un ruban.

— Et surtout, pas un mot sur ce projet de ma… de mar… enfin ce truc idiot. C'est un secret entre nous, précisa Wiglaf. Je n'ai aucune envie que les autres élèves soient au courant.

— Je serai muet comme une tombe, promit Angus.

— Moi aussi, je le jure sur mon authentique épée de Messire Lancelot, renchérit Érica.

Les trois amis crachèrent par terre pour sceller leur pacte.

— Peut-être que Yorick est revenu de Bactéria, on devrait aller voir, proposa Érica.

Ils sortirent du dortoir sur la pointe des pieds et traversèrent sans bruit la cour du château. Wiglaf ouvrit la porte du poste de garde, mais il n'y avait personne à l'intérieur. Rien qu'une grosse pierre sur un lit de paille.

– Ah, dommage, Yorick n'est pas là, constata Angus.

Tout à coup, la pierre se redressa et une main en sortit pour ôter une cagoule grise.

– Yorick ! s'exclama Wiglaf. On t'avait pris pour une pierre.

– C'est fait exprès. Je suis déguisé en pierre : chausses grises, tunique grise, cagoule grise. Comme ça, au moindre danger, je me roule en boule au bord de la route et je passe pour un rocher.

– Astucieux ! siffla Wiglaf, admiratif. Bon, on a une lettre à porter au château de Bactéria, Yorick.

– Mais j'en viens ! Et je n'y retournerai pour rien au monde.

– Je te donnerai un sou, proposa Angus.

– Non, protesta Wiglaf, c'est l'argent que tu as eu pour ton anniversaire.

– Je peux bien faire ça pour toi, si ça peut t'éviter de te marier… oups !

Angus plaqua sa main sur sa bouche.

– Wiglaf va se marier ? s'étonna Yorick.

– Non, je vais tout faire pour y échapper. C'est pour ça qu'il faut que tu te charges de cette lettre.

Angus tendit la pièce à Yorick qui mordit dedans pour être sûr que c'était une vraie.

– J'y cours, j'y vole ! annonça-t-il en prenant la lettre.

Il la glissa dans sa tunique et partit à toute allure.

« Demain matin, se dit Wiglaf, la princesse Rototo lira cette lettre et elle sera dégoûtée à tout jamais de Wiglaf de Pinwick ! »

Avec Angus et Érica, ils repartirent vers le château. Ils étaient presque arrivés quand une voix résonna dans l'obscurité :

– Halte ! Qui va là ?

Les trois amis se figèrent sur place.

– Oh, c'est vous ! Je vous avais pris pour des voleurs.

C'était le professeur Baudruche qui faisait son tour de garde. Il rangea son épée.

– Qu'est-ce que vous fabriquez dehors au beau milieu de la nuit, mes petits gars ?

– On… euh, bafouilla Wiglaf. On…

– On n'arrivait pas à dormir, enchaîna Érica.

– Ah, je connais ça, fit le professeur en regardant le ciel étoilé. Moi aussi, autrefois, j'ai passé des nuits blanches à penser à mon Grand Amour perdu !

– Vous avez été amoureux ! s'étonna Angus. Beurk !

Wiglaf ne put s'empêcher de sourire. C'était drôle de s'imaginer le professeur Baudruche amoureux. Et pourtant, il ne s'était jamais marié. Comment s'était-il débrouillé pour y échapper ?

– Excusez-moi, professeur, mais comment se fait-il que vous ne vous soyez jamais ma… jamais mar…

– Marié ? Le père de ma bien-aimée trouvait que je n'étais pas assez bien pour sa fille. C'est vrai que je n'avais pas un sou. Alors, une nuit, il a envoyé ses hommes de main pour me dire de quitter le pays. Ils ont menacé de me couper en rondelles si je revenais dans le coin. Ils étaient vingt. Et j'étais seul. Alors je suis parti. À l'époque, je pensais que ça valait mieux, soupira le professeur. Mais finalement je me demande…

Wiglaf soupira également. Voilà qui ne l'aidait pas du tout.

— C'est trop triste, professeur, fit Angus en reniflant.

— Eh oui, mon petit gars, acquiesça le professeur. Allez, retournez au lit, maintenant. Je ne ferai pas cours pendant quelques jours, je vais à Ratamoustache voir ma mère. Messire Mortimer me remplacera. Il va vous montrer le Coup Fatal.

— D'accord. Bonne nuit, professeur, répondirent les trois amis avant de rentrer dans le château.

Le jeudi, Wiglaf avait le cœur beaucoup plus léger que la veille. Il s'imaginait la princesse Rototo en train de lire sa lettre. Et de rayer Wiglaf de Pinwick de la liste de ses candidats au mariage.

Le vendredi matin, quand il entra dans la salle à manger pour prendre son petit déjeuner, il vit Mordred qui se précipitait vers lui, un rouleau de parchemin à la main. Il souriait de toutes ses dents en or. Ce n'était pas bon signe.

— La princesse Rototo m'a répondu !

Le pouls de Wiglaf s'accéléra. Une catastrophe couvait. Il le sentait.

— Son messager m'a apporté sa lettre ce matin, continua Mordred. Écoute, je vais te la lire.

Wiglaf jeta un regard nerveux autour de lui. Tous les élèves s'étaient arrêtés de manger et tendaient l'oreille.

Le directeur lut à voix haute :

— *Très cher Mordred, c'est très gentil à vous de m'écrire pour me présenter Wiglaf de Pinwick. Il me semble en effet être le mari idéal.*

— Waouh ! s'écrièrent tous les garçons rassemblés dans la salle à manger. Wiglaf se marie !

— Silence ! ordonna Mordred, ses yeux violets étincelant de colère.

Il poursuivit sa lecture.

— *C'est avec grand plaisir que je viendrai à l'École des Massacreurs de Dragons pour rencontrer cet homme merveilleux.* Après elle dit que je dois déménager pour lui laisser ma chambre et qu'elle veut des draps propres, bla bla bla... Voyons voir...

Il parcourut la page des yeux.

— Ah, oui ! *J'arriverai samedi avec mes dames de compagnie, domestiques et toute ma troupe de pique-assiettes. Si Wiglaf est aussi parfait que vous le dites, nous nous marierons le samedi suivant. Bien évidemment, j'amène votre marmite d'or. Royales salutations de la princesse Rototo, château de Bactéria.*

— Tous mes vœux de bonheur, Wiglafounet ! lança un élève de troisième année.

Le « futur marié » était rouge de honte.

— Oui, elle vient avec son or ! s'exclama Mordred. C'est le plus important. Elle arrive demain, on a encore beaucoup de choses à préparer !

Wiglaf essayait de réfléchir : la princesse avait dû répondre à la première lettre avant de recevoir la seconde. Oui, c'était ça.

Mordred allait sûrement recevoir un autre message très bientôt, disant qu'elle annulait sa visite.

— Allez, allez, ne perdons pas de temps ! criait Mordred. Il ne faudrait pas que la princesse change d'avis en te voyant, Wiglaf. Viens par ici !

Il l'attrapa par le bras.

— Tu vas aller voir Lobelia tout de suite. Elle va t'apprendre les bonnes manières. Te montrer comment manger avec des couverts, comme les gens riches. Comment faire la révérence et, surtout, comment faire le baisemain à la princesse.

Alors que le directeur le traînait hors de la salle à manger, Wiglaf entendit les autres qui faisaient de gros bruits de bisous baveux dans son dos.

Chapitre cinq

Sœurette ! Sœurette ! brailla Mordred en poussant Wiglaf dans la chambre de Lobelia. Il faut que tu apprennes les bonnes manières à ce bon à rien. Et vite ! La princesse Rototo arrive demain. Je ne veux pas qu'elle refuse de l'épouser parce qu'il se conduit comme un bouseux.

— Demain ! s'écria Lobelia. Il n'y a pas une minute à perdre ! Mets-toi à genoux, Wiglaf. Il faudra que tu t'agenouilles avant d'adresser la parole à la princesse.

Wiglaf se laissa tomber par terre.

— Bon, commence par un compliment. Dis-lui qu'elle a de beaux yeux, de beaux cheveux, de belles lèvres. Il faut qu'elle sente que tu la trouves belle !

— Euh… belle princesse, bafouilla Wiglaf, vous avez plein de cheveux… et euh… des tas de dents.

— Nom d'un dragon ! bougonna Mordred. Pas comme ça. Tiens, regarde !

Il s'agenouilla comme il put malgré son gros ventre et joignit les deux mains. En battant des cils, il se mit à déclamer :

— Ô ma rich… euh, ma merveilleuse riche… euh, je veux dire princesse ! Votre chevelure étincelle comme une rivière d'or sous le soleil. Vos yeux scintillent comme des saphirs. Vos dents brillent comme des sous neufs. Tu vois, Wiglaf ?

L'apprenti Massacreur de Dragons essaya à nouveau.

— Ô princesse, votre peau est douce comme… comme une panse de brebis.

— Mais non, pas une panse de brebis ! gronda le directeur.

— Pourquoi ? C'est très doux, je vous assure.

— Mais ce n'est pas très romantique,

Wiglaf, expliqua Lobelia. Dis plutôt
« douce comme un nuage ».

Après cette première leçon, elle le fit
asseoir. Il s'entraîna à ne pas poser les
coudes sur la table. À boire sans faire de
bruit. En même temps, Lobelia lui lisait les
recommandations du *Guide médiéval des
bonnes manières*.

— Ne crachez pas dans votre assiette pendant le repas, attendez d'avoir fini de manger. Ne vous curez pas les dents avec votre
couteau, servez-vous de la pointe de votre
épée. Ne vous mouchez pas dans la nappe,
prenez plutôt votre manche.

Et cela continua ainsi toute la matinée.
Lobelia autorisa Wiglaf à faire une pause
pour le déjeuner en lui conseillant de s'en-
traîner à table. Il descendit à la salle à manger, la tête pleine de « Faites ceci » et de
« Ne faites pas cela » !

— Hé, Wiglaf ! s'exclama Érica tandis
qu'il s'asseyait à côté d'elle. J'ai une bonne
nouvelle pour toi !

Son cœur fit un bond dans sa poitrine.

— C'est quoi ? Yorick est revenu avec une réponse de la princesse Rototo ?

— Non, mais j'ai reçu ma commande du catalogue de Messire Lancelot.

Wiglaf eut du mal à cacher sa déception.

— Ah, c'est chouette, murmura-t-il sans conviction.

— Tiens, reprit Érica. Ça, c'est pour toi.

Elle déposa au creux de sa main une bague avec une pierre d'un bleu laiteux.

— C'est la bague à prédictions quasi magique de Messire Lancelot. Quand elle est bleue, pas de problème mais, si elle vire à l'orange et se met à clignoter, ça veut dire : « Attention, danger imminent ! »

Wiglaf glissa l'anneau à l'index de sa main gauche et fut rassuré de voir que la pierre restait bleue.

Il remercia son amie.

— Si on allait voir Yorick après le déjeuner ? proposa Angus. Il est sûrement rentré et il a peut-être de bonnes nouvelles.

Les trois amis trouvèrent Yorick près du poulailler.

Il ramassait des plumes pour se fabriquer un déguisement de pigeon.

Wiglaf le héla :

— Hé, Yorick ! Ça y est, tu as apporté notre lettre à la princesse Rototo ?

— Euh… c'est-à-dire que… je n'ai pas pu… je me suis fait attaquer.

— Et pourquoi tu ne t'es pas fait passer pour une pierre ? demanda Angus.

— J'ai bien essayé. Mais les voleurs m'ont vraiment pris pour un rocher. Il y en a même un qui s'est assis sur moi. Je n'ai pas pu m'empêcher de crier alors ils se sont jetés sur moi et ils m'ont tout pris. Ils m'ont volé les sous que tu m'avais donnés. Alors je suis revenu.

Il tira la lettre de sa tunique et la tendit à Wiglaf.

— Tiens, je ne pouvais pas porter ce message sans salaire.

Wiglaf s'effondra : sa dernière chance de convaincre la princesse de ne pas venir à l'EMD venait de partir en fumée ! Il roula la lettre en boule.

Érica lui tapota le dos.

– Ne t'en fais pas, Wiggie. Regarde, ta bague est toujours bleue, ça veut dire que tu ne crains rien. Allez viens, sinon on va être en retard à l'Entraînement des Massacreurs. C'est Messire Mortimer qui nous fait cours aujour-d'hui.

– Je vous rejoins dans une minute, promit Wiglaf à ses amis. Je vais faire un petit cou-cou à Daisy.

Il entra dans le poulailler en appelant son cochon :

– Daisy ! Tu es là, ma puce ?

– Bonjourum, Wiglafum !

Elle accourut au petit trot et son maître s'agenouilla pour la serrer dans ses bras.

– Je ne peux pas rester longtemps, Daisy. Mais il fallait que je te voie… Tu sais quoi ? Mordred s'est mis en tête de me ma… de me mar…

Il réussit à articuler le mot sans un son.

Daisy n'en croyait pas ses oreilles.

– Unum mariagum !

Wiglaf hocha la tête.

– Lobelia veut même que tu portes les fleurs.

– Génialum !

– Non, Daisy, ce n'est pas génial du tout. Je n'ai aucune envie de me mar… Je ne veux pas !

– Grosum bêtum ! C'estum superum.

Wiglaf soupira : même sa meilleure amie ne le comprenait pas. Lui qui comptait sur elle pour l'aider ! Il n'aurait jamais imaginé qu'elle serait si contente qu'il se marie.

– Tropum coolum ! continuait-elle, ravie.

– Bon, Daisy, il faut que j'aille en cours. Je te laisse.

Il lui caressa la tête et se dépêcha de sortir du poulailler.

Cet Entraînement des Massacreurs fut un vrai cauchemar pour Wiglaf. D'abord, il était en retard. Et bien sûr, la dernière fois, Torblad ne lui avait pas donné les devoirs à faire.

Aussi, quand Messire Mortimer l'interrogea, il ne put sortir un mot. Comment savoir où il fallait frapper un dragon pour lui porter le Coup Fatal ? Le professeur était très déçu.

Après le cours, Wiglaf courut rejoindre Angus et Érica.

— J'ai une idée, leur annonça-t-il. Pour empêcher ce ma... ce mar... cette catastrophe, je vais appeler Zelnoc.

— Le sorcier fêlé ? s'étonna Angus. Celui qui a raté le sort pour faire parler Daisy ?

— Il fait quelques petites erreurs parfois, admit Wiglaf, mais c'est un sorcier. Il doit bien avoir une formule pour me sortir de là.

— On a une heure de libre avant le cours d'Alchimie, on n'a qu'à l'appeler tout de suite, proposa Érica.

— On pourrait descendre au cachot, ajouta Angus. Je connais une cellule où personne ne va jamais.

— Parfait, alors c'est parti ! décida Wiglaf. Je n'ai pas une minute à perdre !

Chapitre six

Wiglaf, Angus et Érica dévalèrent les escaliers qui menaient au cachot. Angus les conduisit tout au fond, dans une cellule qui sentait le moisi, éclairée seulement par une minuscule lucarne près du plafond.

Wiglaf ferma les yeux et répéta trois fois le nom de Zelnoc à l'envers :

– Conlez, Conlez, Conlez.

Une légère brise lui caressa la joue. Il rouvrit les yeux et découvrit un petit nuage de fumée qui montait du sol. Le nuage grossit, grossit, grossit… tant et si bien que la fumée noire et épaisse envahit toute la pièce.

Wiglaf avait les yeux qui piquaient. Érica et Angus se mirent à tousser.

Et, soudain, un petit lapin blanc sortit de la fumée. Et un autre. Et encore un autre. Bientôt, une douzaine de rongeurs sautillaient dans le cachot.

– Zelnoc ? cria Wiglaf. Vous êtes là ?

– Bien sûr, tonna une voix dans le brouillard. Tu m'as appelé, me voilà !

Le rideau de fumée s'écarta, laissant apparaître le sorcier. Il portait un chapeau pointu et une longue robe bleue parsemée d'étoiles argentées.

– Waouh ! siffla Angus.

Avec Érica, ils reculèrent prudemment d'un pas.

En voulant s'approcher de Wiglaf, Zelnoc trébucha sur un petit lapin.

– Saleté de bestioles ! Comment étais-je censé savoir qu'en disant « rapido lapinou », j'allais faire apparaître des lapins, hein ? Je croyais que c'était un sort pour enlever les verrues. Enfin, bref. C'est toi qui m'as appelé, Weglip ?

– Oui, Messire.

Wiglaf n'était plus si sûr que ce soit une bonne idée de s'adresser au sorcier. Décidément, il mélangeait vraiment toutes les formules !

— Je vous présente mes amis, Angus et Érica.

— Enchanté, répondit Zelnoc. Est-ce que, par hasard, l'un de vous connaîtrait un sort pour se débarrasser des lapins ?

Érica et Angus secouèrent la tête.

— C'est bien dommage, soupira le sorcier.

Il se tourna vers Wiglaf.

— Alors, qu'est-ce qui t'arrive, Wouglof ? Tu veux un autre sort de Courage ?

— Non, Messire. Cette fois-ci, j'ai besoin d'une formule pour échapper à un ma… à un mar…

— À un mariage, compléta Angus. Mon oncle Mordred veut qu'il épouse la princesse Rototo.

— Une princesse, mazette ! s'exclama Zelnoc. Mes félicitations, mon p'tit gars ! C'est rare qu'une princesse choisisse un mari sans le sou. Tu dois beaucoup lui plaire !

— Mais je ne veux pas lui plaire ! protesta Wiglaf. Je vous ai appelé pour que vous me tiriez de là !

— Pas de problème. Je vais te préparer ma potion Anti-amour. Quand la princesse Rototo l'aura bue, elle détestera de tout son cœur la première personne sur qui elle posera les yeux.

— Parfait ! s'écria Wiglaf. Je m'arrangerai pour que cette personne, ce soit moi !

Érica s'approcha du sorcier, l'air intrigué.

— Dites-moi, qu'est-ce que vous allez mettre dans cette potion ?

— Une pincée de poivre, six poils de queue de moufette, une louche de ragoût d'égout, et quelques ingrédients secrets. Je ne peux pas vous donner toute la formule, c'est interdit par la règle n° 457 du Code des sorciers, mais croyez-moi, c'est efficace !

— Ce sera prêt quand ? s'inquiéta Wiglaf.

— Voyons…

Le sorcier se gratta le menton pensivement.

— Dans deux semaines.

— Oh, misère de misère ! Ce sera trop
tard !

— Le mariage doit avoir lieu samedi pro-
chain, expliqua Angus.

— Ah, mais il fallait me dire que c'était
une urgence. À sorcier vaillant, rien d'impos-
sible ! J'ai plus d'un tour dans ma manche.

Pour prouver ce qu'il avançait, Zelnoc
glissa la main dans sa manche et en tira…
un lapin !

— Nom d'une tortue bossue ! gémit-il.
Quelle journée de lapin !

— Messire, vous pouvez aider Wiglaf,
alors ? le pressa Érica.

— Oui, je vais lui donner un élixir de
Répulsion. C'est une sorte de parfum…
affreusement répugnant. Comme s'appelle-
t-il déjà ?… Ah, oui, je sais : « Eau de
dégoût ». Dès que la princesse l'aura senti,
elle le détestera à tout jamais. Enfin, tout du

moins, tant que l'élixir fera son effet. Ne vous inquiétez pas, je reviens vous l'apporter. Pour le moment, je dois retourner dans ma tour et trouver une solution pour me débarrasser de ces lapins.

– Oh, merci, Messire ! répondit Wiglaf tandis que le cachot se remplissait à nouveau de fumée.

– À bientôt, Wigloups ! Allez, venez, mes lapins ! Suivez-moi, petits, petits !

Les rongeurs s'enfoncèrent dans la fumée avec le sorcier et disparurent un à un.

Wiglaf remonta les escaliers du cachot le cœur léger. Finalement, il avait eu raison d'appeler Zelnoc !

Mais sa joie fut de courte durée car, en haut des marches, il tomba sur Mordred.

– Wiglaf ! tonna le directeur. Justement, je te cherchais.

Il renifla.

– C'est bizarre, ça sent la fumée, non ?

– Potaufeu doit encore avoir fait brûler le dîner, s'empressa de répondre Angus.

– Oui, ce doit être ça. Bon, allez, viens, Wiglaf ! Lobelia t'attcnd.

– Mais, j'ai cours d'Alchimie, Messire !

– Les cours sont suspendus, à part le cours de Récurage. Angus et Érica, vous avez manqué la distribution des tâches, alors je vous affecte au nettoyage des toilettes ! Wiglaf, va voir Lobelia. Elle va te « relooker », comme elle dit.

– Me… quoi ?

– Elle veut que tu sois à ton avantage pour rencontrer la princesse Rototo demain. Alors file !

En courant dans les couloirs, Wiglaf vit avec horreur que la pierre de sa bague quasi magique était devenue orange. Elle se mit à clignoter : danger, danger, danger ! Son cœur s'emballa. Ce n'était pas bon signe.

– Wiglaf ! s'exclama Lobelia en le faisant entrer dans sa chambre. J'ai trouvé une charmante illustration représentant le prince Putroc dans *Mode royale*. Regarde cette magnifique chevelure !

Lobelia lui montra le magazine. Le visage du prince était encadré de bouclettes en tire-bouchon.

– Oh, Wiglaf, tu auras l'air d'un prince quand je t'aurai frisé les cheveux.

– Misère de misère ! gémit Wiglaf.

Pas étonnant que sa bague se soit mise à clignoter !

– Non, non, je vous en supplie ! C'est ridicule, ces frisettes !

– Fais-moi confiance, Wiglaf, insista Lobelia. Cette coiffure t'ira à merveille. Mais d'abord, je vais te faire un masque de beauté. Assieds-toi sur ce tabouret.

Wiglaf obéit, pas très rassuré. Lobelia entreprit alors de lui étaler sur la figure une boue verdâtre à l'odeur nauséabonde.

– C'est de l'argile du marais des Poissons morts. C'est excellent pour la peau.

Elle recula d'un pas pour vérifier qu'elle lui en avait bien mis partout.

Wiglaf sentait déjà l'argile durcir sur son visage.

– Maintenant, penche la tête en arrière, lui ordonna Lobelia.

Il s'exécuta et elle lui posa deux grosses tranches de concombre sur les yeux.

– C'est pour dégonfler les paupières, expliqua-t-elle.

C'était affreux, le jus lui dégoulinait dans les oreilles !

– Et pour les lèvres, poursuivit Lobelia, de la pâte au poivre.

– Ouille ! Ça pique !

– C'est fait exprès pour leur donner une jolie teinte rosée. Surtout, ne lèche pas la crème !

Wiglaf avait envie de lui demander combien de temps il allait devoir rester comme ça, mais il n'osait pas ouvrir la bouche.

– Tu sais que tu as les oreilles décollées, Wiglaf ? Eh bien, j'ai lu dans un magazine qu'avec un demi-oignon, on pouvait y remédier, figure-toi.

Et sur ce, elle lui suspendit un demi-oignon à chaque oreille.

— Maintenant, tiens-toi tranquille pendant que je te fais les ongles. C'est très important d'avoir les mains soignées pour un futur prince, Wiglaf.

Quand elle eut fini avec ses ongles, elle s'attaqua à ses cheveux. Elle enroulait ses mèches sur un fer à friser brûlant.

Wiglaf avait déjà battu deux dragons féroces, mais Lobelia était pire que tous les dragons réunis.

C'était une experte en torture. Il se demandait s'il allait survivre à tout ce qu'elle lui faisait subir.

Quand finalement il regagna le dortoir, il avait de grosses plaques rouges sur les joues à cause de l'argile, les lèvres en feu et d'affreuses bouclettes orange qui pendouillaient sur le front.

— Wiglaf ! s'écria Érica en le voyant. Tu as attrapé la peste ou quoi ?

— J'aurais préféré. C'est sûrement moins affreux que de se retrouver entre les mains de Lobelia.

Il se laissa tomber sur son lit de camp, l'air misérable.

– … Et le pire, c'est que la princesse Rototo arrive demain.

Érica alla trouver Angus.

– Wiglaf est au bout du rouleau, lui annonça-t-elle. Il faut qu'on lui donne un coup de main.

– Je sais, mais comment ?

– Hum… J'ai bien une idée, mais…

– Vas-y, dis toujours.

– Tu sais, j'ai commandé des farces et attrapes dans le catalogue des Bouffons. Ça pourrait nous servir…

– Tu veux qu'on utilise ta fleur lance-eau ? demanda Angus. Et la pâte noire pour faire croire qu'on a une dent en moins ? Le coussin à pet de dragon ? Et la fausse crotte de troll ?

Érica hocha la tête en souriant.

– Oui, on va réserver un accueil très spécial à la princesse Rototo !

Chapitre sept

Le samedi matin, en ouvrant les yeux, Wiglaf consulta sa bague. Elle était redevenue bleue.

Mais elle allait sûrement virer à l'orange car la princesse Rototo n'allait pas tarder à arriver !

Après le petit déjeuner, Wiglaf se rendit à contrecœur chez Lobelia. Il allait frapper à la porte quand, soudain, un éclair surgit devant lui.

— Saperlipopette ! s'écria Wiglaf en faisant un bond en arrière.

Zelnoc le sorcier apparut alors dans la lumière flamboyante.

— Pas mal, mon entrée, hein ? C'est bien plus chic que la fumée. La chance est avec moi en ce moment, Waglopf. J'ai inventé une formule « Bye bye, les lapins » et hop ! les lapins ont disparu !

– Tant mieux. Mais, dites, vous m'avez apporté votre truc de dégoût, là ?

– Nom d'une chauve-souris sans ailes, pour qui me prends-tu ? Bien sûr, je suis venu exprès.

Il plongea la main dans sa manche et en tira une petite fiole rouge vif.

– Vous êtes sûr que ça va marcher ?

Zelnoc fronça les sourcils.

– Tu crois que je te donnerais une potion qui ne fonctionne pas ?

– Eh bien…

Wiglaf ne voulait pas le vexer mais, en fait, ses sorts tournaient souvent mal.

Juste à ce moment-là, Lobelia ouvrit la porte de sa chambre.

– Bonjour, Wiglaf !

Elle passa la tête dans le couloir.

– Tiens, un sorcier. Mais qu'est-ce que c'est que cette vieille robe ?

– Quoi ? Qu'est-ce qu'elle a, ma robe ?

– Ces étoiles, c'est affreusement ringard. Maintenant la mode, chez les sorciers, c'est les comètes, les pluies de météorites, les étoiles filantes. Là, vous faites un peu hors d'usage, mon vieux ! Mais entrez, tous les deux. J'ai une surprise pour toi, Wiglaf.

Une surprise ? Il en avait eu plus qu'assez ces derniers jours !

Mais il suivit Zelnoc dans la chambre de Lobelia… et découvrit Daisy avec une petite cape de satin rose et une couronne de fleurs sur la tête !

– Pourquoi t'es-tu faite si belle ? demanda Zelnoc.

– Pourum le mariagum de Wiglafum.

Le sorcier adressa un clin d'œil à Wiglaf.

– Ah oui, le mariage. C'est aussi pour ça que je suis là, en quelque sorte.

Lobelia battit des mains.

– Oh, Wiglaf, c'est merveilleux. Il y aura un sorcier à ton mariage !

– Non, non, non ! protesta Zelnoc. La

règle n° 45 du Code des sorciers est très claire là-dessus : nous n'avons pas le droit d'assister aux mariages. Aux enterrements parfois. Mais pas aux mariages.

— Oh, les règles sont faites pour être brisées, répliqua Lobelia.

Elle examinait déjà Zelnoc sous toutes les coutures.

— Je vais tailler votre barbe et vous trouver une nouvelle robe. Ça vous donnera l'air plus crédible, même si vos pouvoirs ne sont pas vraiment à la hauteur.

— Quoi ! Mes pouvoirs vont très bien, merci !

— Hé, ne vous vexez pas, mon vieux !

— Mais je ne suis pas vieux, pas pour un sorcier en tout cas ! Et je ne suis pas vexé. Un sorcier ne se vexe jamais. Un sorcier se met en colère, un sorcier se déchaîne ! Surtout les sorciers en pleine possession de leurs moyens, comme moi !

— Oh, arrêtez votre cinéma ! répliqua Lobelia.

– Vous mettez en doute l'efficacité de mes pouvoirs, c'est ça ? gronda Zelnoc. Eh bien, on va faire une petite expérience.

Il déboucha la petite fiole rouge et l'agita sous le nez de Lobelia.

Wiglaf vit avec horreur ses pupilles se révulser.

– Qu'est-ce que vous lui avez fait ? s'écria-t-il.

Lobelia ferma les yeux un moment puis les rouvrit et posa son regard sur Zelnoc.

– Alors ? demanda le sorcier. Vous me détestez de tout votre cœur, pas vrai ?

Elle porta les mains à sa poitrine en déclamant :

– Oh ! Ne dites pas de telles horreurs,
Car c'est l'amour qui fait battre
        mon cœur.

– Oh, oh…, murmura le sorcier.

– Avec votre chapeau pointu,
Je vous aime d'amour éperdu !

– Zelnocum a unum amoureusum ! chantonna gaiement Daisy.

— Oh, non, soupira le sorcier, c'est encore pire que les lapins.

— *Peu m'importe que vous soyez vieux et ridé,*

Je vous aime, ô mon beau sorcier !

Wiglaf prit la petite fiole rouge des mains de Zelnoc et lut l'étiquette : « Huile d'amour poétique ».

— Oups ! fit le sorcier. Je me suis trompé de potion. Mais ça marche, tu vois, Wiglaf ? Ça fonctionne même trop bien.

Lobelia prit ses mains dans les siennes.

— *Zelnoc, vous m'avez charmée, venez,*

Au clair de lune, nous allons danser !

Zelnoc la repoussa.

— Pas question. C'est contre la règle n° 498 : « Les sorciers n'ont pas le droit de danser. » J'en ai assez, je m'en vais.

— *Ô sorcier à la robe étoilée,*

Je vous en supplie, restez !

Zelnoc se tourna vers Wiglaf :

— Ça suffit, je rentre chez moi.

Et il disparut en un éclair.

Lobelia se mit à sangloter :

— *Hélas, mon sorcier est parti,*
Et je ne peux vivre sans lui !

Wiglaf essaya tant bien que mal de la consoler.

— Vous ne l'aimez pas vraiment, dame Lobelia. Il vous a juste jeté un sort. Vous allez voir, ça va passer.

Mais Lobelia ne voulait rien entendre. Elle pleurait toutes les larmes de son corps. Finalement, elle jeta sa cape de velours violet sur ses épaules et se dirigea vers la porte.

— Où allez-vous comme ça ? s'inquiéta Wiglaf.

Entre deux sanglots, Lobelia répondit :

— *Ô triste amour défunt ! Pour que ma douleur prenne fin,*

Je ne vois qu'un moyen : aller faire les magasins !

Chapitre huit

Wiglaf se jeta sur le lit de Lobelia. Il aurait dû savoir que ce n'était pas une bonne idée d'appeler Zelnoc. « Eau de dégoût », tu parles !

— Pauvrum Lobelium ! commenta Daisy.

— Ce n'est pas grave pour elle, répliqua Wiglaf, le charme va se dissiper. Mais moi, je serai coincé pour toujours avec la princesse Rototo !

Juste à cet instant, Mordred passa la tête dans l'entrebâillement de la porte.

— Ah, te voilà, Wiglaf. Yorick a repéré la princesse Rototo du haut de la tour. Elle vient de s'engager sur le chemin du Chasseur, avec sa suite. Ils devraient arriver dans l'heure !

— Misère de misère ! gémit Wiglaf.

– Comment se fait-il que tu ne sois pas encore habillé ? Et où cst passée ma sœur ?

– Partium fairum des coursum.

– Faire des courses ? gronda Mordred. Ce n'est vraiment pas le moment ! Elle a dû entendre parler de la Foire-à-tout de Ratamoustache.

Enfin, ce n'est pas grave. Où a-t-elle rangé le costume qu'elle t'a fait faire, Wiglaf ? Ah, le voilà !

Le directeur de l'EMD lui tendit un paquet bien ficelé.

Dès que Wiglaf l'eut entre les mains, sa bague se mit à clignoter, signalant un danger imminent.

– Qu'est-ce que tu attends ? Enfile-le ! ordonna Mordred.

Wiglaf se glissa derrière le paravent en tremblant. Il savait qu'une catastrophe le guettait, mais il ne pouvait rien faire. Il ôta son uniforme de l'EMD et passa son nouveau costume.

– Allez, ne lambine pas !

Wiglaf accrocha vite la fleur lance-eau qu'Érica lui avait donnée à son col. Il glissa la pâte à dents noires dans sa poche et cacha la poignée de main électrique au creux de sa paume. Puis il sortit de derrière le paravent.

En apercevant son reflet dans le miroir en pied de Lobelia, il laissa échapper un cri horrifié. Il comprenait pourquoi la bague s'était mise à clignoter ! Il portait une tunique vert caca d'oie. Ses jambes moulées dans des collants assortis avaient l'air de deux cure-dents. Et il avait d'affreuses chaussures recourbées au bout !

Mordred le coiffa d'une toque en forme de champignon (toujours vert caca d'oie) en arrangeant ses bouclettes rousses de chaque côté.

– Parfait ! Avec ce chapeau, tu as l'air d'un prince.

– Superum chicum ! commenta Daisy.

Wiglaf ne se trouvait pas du tout « chic », mais plutôt complètement ridicule. On aurait dit un lutin des bois !

Il s'examina encore un peu dans le miroir. Puis il sourit. La princesse Rototo ne voudrait sûrement pas épouser quelqu'un qui avait l'air aussi idiot.

— Allez, viens ! ordonna Mordred. Il est temps d'aller accueillir ta fiancée dans la cour du château.

Wiglaf suivit le directeur. Ses chaussures faisaient un drôle de bruit quand il marchait : Flop, flop ! Flop, flop !

Tous les élèves de l'EMD étaient rassemblés dans la cour du château, guettant l'arrivée de la princesse des États-Moisis.

Wiglaf les entendit ricaner sur son passage.

— Tiens, un champignon qui marche !

— Hé, Wiglaf ! Tu t'es déguisé en haricot vert ?

Mais il les ignora et garda la tête haute. Ils pouvaient bien rire tant qu'ils voulaient. Si ce costume lui évitait d'épouser la princesse, il voulait bien le porter pour le restant de ses jours.

Il repéra Angus et Érica dans la foule mais, comme il ne pouvait pas les rejoindre, il se contenta de leur faire signe.

Tout à coup, les trompettes retentirent et Yorick annonça :

– Son Altesse Royale, la princesse Rototo !

Une troupe de jongleurs passa le pont-levis suivie par deux bouffons qui faisaient la roue et trois ménestrels qui chantaient en s'accompagnant de leurs luths. Puis venaient quatre dames de compagnie et cinq valets. Le dernier tenait en laisse un sanglier à l'air féroce, avec des protections en or au bout des défenses.

Wiglaf n'avait jamais vu un tel défilé, c'était magnifique ! Mais il en aurait mieux profité s'il n'avait pas su qui fermait la marche.

Justement un carrosse doré tiré par six chevaux fit son entrée dans la cour du château. À la fenêtre se tenait la princesse Rototo en personne.

— Bienvenue à l'École des Massacreurs de Dragons ! tonna Mordrcd.

Il fit un signe à l'orchestre de l'EMD qui entonna un air grinçant.

Wiglaf regardait avec une panique croissante les valets ouvrir la porte du carrosse. Les dames de compagnie aidèrent Son Altesse à descendre.

La princesse Rototo était vraiment costaud pour une princesse. Wiglaf était sûr qu'elle le dépassait d'une bonne tête. En plus, elle portait un très haut chapeau pointu avec une traîne de dentelle. Ses longues nattes blondes lui tombaient presque aux genoux.

— Soycz la bienvenue, princesse, reprit Mordred. En tant que directeur de cette prestigieuse école, je vous souhaite…

— Stop !

Mordred, stupéfait, s'arrêta au beau milieu de son discours.

— Eh bien, où est-il ? demanda la princesse. Où est-il, ce fameux Wiglaf de Pinwick ?

– Ici, Votre Altesse Richissime. Euh, je veux dire Sérénissime ! Allez, viens, Wiglaf !

Il le poussa en avant en lui glissant :

– Fais comme je t'ai montré.

Wiglaf s'avança à contrecœur.

– Regarde, Gretta, dit la princesse à sa dame de compagnie. Il n'est pas vraiment roux. Je dirais plutôt qu'il a les cheveux orange.

« Ouais, un mauvais point pour moi ! » se dit Wiglaf. La princesse Rototo voulait à tout prix un mari roux. Et il ne faisait pas l'affaire !

– J'ai en effet les cheveux orange, approuva-t-il.

Mais à sa grande surprise, la princesse sourit.

– Mon Grand Amour perdu avait les cheveux roux orangé.

Elle exhiba un médaillon qu'elle portait autour du cou et l'ouvrit en soupirant :

– C'est tout ce qui me reste de lui : une mèche couleur carotte.

Wiglaf pâlit.

Ah, non ! Ça n'allait pas du tout ! Ses affreux cheveux n'étaient pas censés lui plaire. Mais il n'allait pas abandonner si vite.

— Allez, continue, Wiglaf, lui chuchota Mordred. Fais-lui des compliments, comme on t'a appris.

Wiglaf avança d'un pas en déclamant :

— Ô belle princesse, votre parfum est aussi doux que celui de cette fleur.

Alors qu'elle se penchait pour sentir la fleur épinglée à sa tunique, Wiglaf pressa une petite poire qui était cachée dans sa poche et… splash ! la princesse reçut un jet d'eau en pleine figure.

— Aaaaaah !

Sa dame de compagnie s'empressa de lui essuyer les joues avec son mouchoir.

Sans lui laisser le temps de se remettre, Wiglaf enchaîna :

— Princesse, laissez-moi vous faire le bai-semain.

Il prit sa main dans la sienne et… bzzzzz ! la poignée de main électrique lui envoya une décharge.

— Aïe ! hurla la princesse en sursautant.

Mordred accourut.

— Princesse, je suis désolé. Je ferai fouetter ce vaurien. Je le ferai torturer, écrabouiller, écarteler jusqu'à ce que ses bras et ses jambes fassent trois mètres !

— Chut !

La princesse Rototo écarta le directeur pour mieux examiner Wiglaf et déclara :

— Je ne m'attendais pas à ça !

Wiglaf sourit tranquillement.

— Je vous en prie, princesse. Pardonnez-lui, supplia Mordred. Je le ferai jeter au cachot ! Mais vous l'épouserez quand même, hein ? J'aurai quand même droit à ma marmite d'or ?

— Poussez-vous ! lui ordonna la princesse.

Le directeur obéit, penaud.

— Dites-moi, Wiglaf de Pinwick, reprit la princesse, cette fleur lance-eau et cette

poignée de main électrique viennent du catalogue des Bouffons, n'est-ce pas ?

Wiglaf, surpris par la question, bafouilla :

– Euh… oui, oui, c'est ça.

– Ha, ha, ha ! s'exclama la princesse en lui donnant une grande tape dans le dos. Rien ne vaut une bonne blague. Moi aussi, j'ai commandé des farces et attrapes. Je voulais m'amuser un peu avec vous. Regardez !

Elle glissa la main dans la poche de sa robe et la porta à sa bouche. Puis elle sourit… mais il lui manquait les deux dents de devant !

Elle éclata de rire et flanqua une autre tape à Wiglaf. Cette fois-ci, il s'étala de tout son long sur les pavés de la cour.

– Vous n'avez rien à voir avec mon Grand Amour perdu, remarqua la princesse tandis qu'il se relevait tant bien que mal. Mais vous êtes un sacré luron ! Oh, ce qu'on va s'amuser tous les deux quand on sera à Bactéria !

– Il… il vous plaît finalement ? demanda Mordred. Vous voulez quand même l'épouser ?

– Oh que oui ! répliqua la princesse. Et sans attendre ! La cérémonie aura lieu dès demain.

– Mais… mais… mais…, bégaya Wiglaf.

La voix de Mordred couvrit ses protestations.

– Quelle joie ! Quel bonheur ! C'est le plus beau jour de ma vie ! Au fait, Votre Altesse Richissime, euh… je veux dire, Sérénissime, vous avez apporté ma marmite d'or ?

La princesse Rototo fronça les sourcils.

– Vous ne pensez vraiment qu'à ça, hein ?

– Pour tout vous dire… oui. Euh… je veux dire, non. Bien sûr que non.

– Écoutez, j'ai fait un long voyage pour venir dans ce coin reculé du royaume, j'aimerais me reposer. Avez-vous fait préparer la meilleure chambre pour moi ?

– Bien entendu, princesse. Yorick !

Escortez la princesse jusqu'à sa chambre, ordonna le directeur.

La princesse fit un petit signe à Wiglaf.

— À tout à l'heure, Wigounet. Attendez ! Qu'est-ce que vous avez sur la tête ?

— Quoi ? Qu'est-ce qu'il y a ?

— Ça.

La princesse tendit le bras pour retirer quelque chose du sommet de son crâne. Elle l'agita sous son nez.

C'était… c'était un pouce humain ! Avec du sang séché à la base, sur la coupure. Wiglaf faillit tomber dans les pommes.

— Ha, ha ! Je t'ai eu, Wigounet !

Elle lui lança l'affreux pouce sanguinolent. C'était du plastique !

Puis, toute contente, elle partit vers le château.

— Allez, pour l'instant, retournez en cours, ordonna Mordred. Mais ce soir, on enterre la vie de garçon de Wiglaf !

— Ouais ! Youpi ! crièrent tous les élèves en chœur.

Angus et Érica coururent rejoindre leur ami.

— Notre plan a échoué ! C'est fini, misère de misère ! gémit-il.

— Mais non, le rassura Érica, regarde, ta bague est toujours bleue.

Pour tout avouer, Wiglaf n'avait plus tellement confiance en cette bague.

— Tiens, fit-il d'un air lugubre en tendant le pouce en plastique à son amie.

— Oh, merci ! Ça fait partie du kit de Super-Bouffon. Je n'avais pas assez pour me le commander. Tu sais que, dans le lot, il y a aussi un coussin péteur ?

— Génial, marmonna Wiglaf.

Mais il avait bien autre chose en tête. Il pensait à la princesse Rototo. Et il se demandait comment il allait pouvoir la supporter toute la vie !

Chapitre neuf

Quand Wiglaf entra dans la salle à manger ce soir-là, Mordred se mit à crier :

— Hip, hip, hip, hourra pour le futur marié !

— Hip, hip, hip, hourra ! reprirent tous les élèves en chœur.

La pièce était pleine de fleurs et il y avait des plats fumants sur chaque table. Pas une seule gamelle de ragoût d'égout en vue.

Wiglaf s'assit à la place d'honneur, avec Angus et Érica de chaque côté. Ils entamèrent leur assiette avec appétit mais Wiglaf, lui, ne pouvait rien avaler.

— Allez, mange, Wiglaf ! l'encouragea Mordred. Je n'ai pas regardé à la dépense. On dîne aux frais de la princesse, ce soir !

Il lui donna une claque dans le dos.

— Alors tu as choisi ton garçon d'honneur, fiston ?

Wiglaf se tourna vers Angus.

— Ça te dirait ?

— Foui, afec plaichir, répondit-il, la bouche pleine.

Pendant le repas, les jongleurs jonglè-rent, les chanteurs chantèrent. Et les domestiques promenèrent le sanglier dans la salle pour faire admirer ses belles défenses aux bouts dorés. Dans d'autres circonstances, Wiglaf se serait beaucoup amusé.

Le professeur Baudruche se leva pour porter un toast.

— J'ai appris que tu allais te marier alors que j'étais chez ma mère à Ratamoustache, Wiglaf. Je suis revenu aussi vite que j'ai pu pour te présenter mes vœux de bonheur. L'amour est la plus belle chose au monde, mon petit gars. Quand je pense à mon Grand Amour perdu, mon cœur bat encore de joie. On pourrait dire que j'ai été malheureux en amour, mais je ne trouve pas, car ma bien-aimée et moi, nous avons été heureux comme des petits cochons dans une flaque de boue. Je me souviens de…

— Allez, porte ton toast et rassieds-toi, Wendell ! cria Potaufeu. On ne va pas y passer toute la nuit !

— Alors… à Wiglaf et à sa fiancée ! lança le professeur.

Tout le monde leva son verre en criant :

— À la santé de Wiglaf et de la princesse Rototo !

— La princesse Rototo ?

Le professeur Baudruche manqua s'étouffer avec son hydromel. Mordred dut lui taper dans le dos pour qu'il arrête de tousser.

Frère Dave porta le dernier toast de la soirée.

— Dors bien, Wiglaf. Car quand demain les cloches sonneront et carillonneront, ce sera pour célébrer ton union !

Le lendemain matin, dans le hall du château, Wiglaf répétait son texte, coincé entre Angus et Mordred.

– Allez, on recommence, ordonna le directeur. Wiglaf de Pinwick, voulez-vous épouser la princesse Rototo ici présente ?

– Euh… euh… oui.

– Plus fort ! rugit Mordred.

– N… Oui ! répéta Wiglaf, désespéré.

Angus lui tapota l'épaule pour le réconforter.

La cérémonie allait bientôt commencer. Wiglaf se gratta le cou. Pourquoi devait-il porter cette affreuse fraise en dentelle ? C'était ridicule ! Il se sentait déjà assez mal comme ça !

Il était au bord des larmes. Il ne voulait pas quitter ses amis. Il ne voulait pas aller vivre au château de Bactéria avec cette princesse folle à lier. Il n'avait même pas envie de l'aider à dépenser ses millions.

– Encore une fois, ordonna Mordred.

– OOOUUUIII ! ! ! hurla Wiglaf.

— Voilà qui est mieux.

Soudain, Lobelia entra dans le château, tout essoufflée, avec des sacs plein les mains.

— Oh, dieu merci ! J'arrive à temps. Je ne sais pas ce qui m'a pris de partir comme ça. Mordie, va voir Messire Couac et dis-lui de commencer à jouer de l'orgue.

Le directeur partit comme une flèche.

Lobelia sortit un flacon de son sac et aspergea Wiglaf de parfum.

— Ça s'appelle « Mariage d'Amour ». Follement original, non ? Bon, il faut que je file voir les demoiselles d'honneur. Je reviens !

Et elle fila avec tous ses paquets.

Beurk ! Maintenant Wiglaf sentait la rose !

Il glissa un œil dehors. La cour avait été décorée pour l'occasion : les rosiers de Lobelia encadraient un long tapis rouge. Les élèves de troisième année installaient les invités sur de longs bancs de bois.

Soudain, l'orgue retentit. Ça y est, la cérémonie commençait ! Quelle horreur !

Frère Dave sortit de la chapelle et s'arrêta
entre les deux plus gros rosiers.

– C'est le signal, chuchota Angus. Allez,
viens !

Comme Wiglaf restait cloué sur place, il
dut le traîner dans la cour du château.

Ébloui par la lumière du jour, le marié
s'avança en titubant vers Frère Dave.

– Tu t'en sors très bien, mon enfant, le
rassura le moine quand il le rejoignit.

Ensuite ce fut au tour des demoiselles
d'honneur de remonter l'allée, avec Daisy qui
trottinait derrière elles. Elle portait sa petite
cape de soie rose et sa couronne de fleurs.

Les invités n'en revenaient pas. On enten-
dait murmurer : « Un cochon à un mariage ?
Ça promet ! »

L'orgue entonna ensuite la marche nup-
tiale.

Messire Mortimer escorta la princesse
Rototo jusqu'à l'autel. Elle portait une robe

rouge et ses longues nattes étaient ornées de perles.

— Elle est magnifique ! chuchotèrent les invités. Quelle belle robe !

Wiglaf se mit à trembler en voyant la princesse approcher. Elle avait les lèvres rose vif, les joues rouge feu, du bleu sur les paupières. Elle avait l'air plus féroce qu'un dragon.

Dans la foule, il aperçut Érica qui agitait le doigt. Il comprit et regarda sa bague. La pierre était toute bleue.

« Tu parles ! » pensa-t-il. Elle aurait dû être rouge comme la braise ! Érica s'était fait avoir, cette bague n'avait rien de magique !

Messire Mortimer tendit la main de la princesse à Wiglaf, puis il fit la révérence et s'assit au premier rang, à côté de Mordred.

La princesse adressa un clin d'œil complice à son futur mari. Il essaya tant bien que mal de lui sourire.

— Mes bien chers frères, commença frère Dave, nous sommes réunis aujourd'hui pour unir Christina Louise Bérangère Bernadette Paula Marie Rototo, princesse des États-Moisis, et Wiglaf de Pinwick par les liens sacrés du mariage.

Les genoux de Wiglaf se mirent à trembler.

— Hé, du calme, lui glissa Angus.

— Si quelqu'un dans cette salle connaît une raison d'empêcher cette union, continua le moine, qu'il parle ou qu'il se taise à jamais.

Le silence se fit dans la cour du château.

Frère Dave se tourna vers la mariée.

— Princesse Rototo, voulez-vous…

— Stop ! cria quelqu'un dans l'assemblée. Arrêtez tout !

Chapitre dix

Les invités étaient bouche bée.

Wiglaf se retourna pour scruter l'assemblée.

– Regarde !

Angus tendit le doigt. Un homme se frayait un chemin dans la foule.

– C'est le professeur Baudruche ! s'écria Wiglaf, stupéfait.

Qu'est-ce que c'était que cette histoire ?…

Soudain, la princesse Rototo laissa échapper un cri strident.

Wiglaf sursauta. Et si c'était encore une de ses farces ?

– Wendell ! hurla-t-elle. C'est toi ?

– Oui, Rotounette, c'est bien moi !

Le professeur Baudruche courut vers elle. La princesse lui tendit la main mais, juste au moment où il allait la prendre, elle la retira vivement.

– Ha, ha ! Je t'ai eu.

– Oh, oh ! Tu es toujours aussi coquine, ma Rotounette !

Il la souleva et la fit tournoyer dans ses bras.

– ARRÊTEZ ! rugit Mordred.

Le professeur reposa la princesse par terre.

– Par les culottes du roi Ken, gronda le directeur, qu'est-ce que vous fabriquez, Baudruche ?

– J'ai retrouvé ma bien-aimée. Ma petite Rotounette ! Moi qui croyais ne plus jamais la revoir.

– Mais pourquoi m'as-tu quittée, Wendell ? Pourquoi ? demanda la princesse.

– Les hommes de main de ton père m'ont enlevé. J'ai essayé de revenir au château

plusieurs fois mais les gardes m'en empê-
chaient. Alors je suis parti, chevalier soli-
taire, dans la forêt des Ténèbres. J'ai essayé
de t'oublier, ma princesse, mais je n'ai
jamais pu.

– Moi non plus. Depuis ton départ, j'ai
passé tout mon temps à compter mon or, à
commander des farces et attrapes sur le
catalogue des Bouffons et à chanter cette
chanson. Écoute…

Le chevalier de mon cœur
A tué mon bonheur,
Quand sans rien dire il est parti
Au beau milieu de la nuit.

Ô chevalier de mon cœur,
Ô chevalier sans peur,
Pourquoi m'as-tu abandonnée
En me laissant seule à pleurer ?

– Oh, Rotounette ! s'écria le professeur
Baudruche.

— Asseyez-vous, Baudruche, ordonna Mordred. Vous discuterez du bon vieux temps plus tard. Revenons-en au mariage.

Mais la princesse et le professeur l'ignoraient complètement.

— Je ne veux pas te perdre une seconde fois, Rotounette, décréta le professeur.

Il mit un genou à terre pour demander :

— Veux-tu devenir ma femme ?

La princesse sourit et se tourna vers Wiglaf.

— J'espère que tu ne m'en voudras pas, mais je vais épouser Wendell.

— Bien sûr, répondit-il, tout content. Il faut se marier avec la personne que l'on aime.

Ça y est ! Il avait enfin réussi à le dire : « marier ».

— Mais que dira ton père ? s'inquiéta le professeur.

— On s'en moque, répliqua la princesse.

— Attendez ! Une petite minute ! Et les conditions que vous aviez posées, Votre

Altesse ? demanda Mordred. D'accord, Wendell est un massacreur de dragons. Et son prénom commence par un W. Mais il n'est pas roux !

— C'est vrai, admit le professeur Baudruche en retirant sa perruque. Je n'ai plus de cheveux.

— On s'en moque ! répéta la princesse. Avant, tu avais une belle chevelure carotte. J'en ai encore une mèche dans mon médaillon. Ça me suffit.

Mordred n'avait plus rien à répondre. Il s'éloigna en grommelant.

— Si vous voulez, je peux être votre garçon d'honneur, professeur, proposa Wiglaf.

Frère Dave recommença alors son petit discours :

— Mes bien chers frères, nous sommes réunis aujourd'hui pour unir la princesse Rototo du château de Bactéria, aux États-Moisis, et le professeur Wendell Baudruche, de l'École des Massacreurs de Dragons, par les liens sacrés du mariage…

Une grande fête suivit la cérémonie. Et Wiglaf s'amusa comme un fou. Il applaudit les jongleurs. Il chanta avec les ménestrels. Il dansa avec Daisy. Et il sourit lorsqu'il la vit plus tard flirter avec le sanglier aux défenses d'or. Jamais il n'avait été aussi heureux.

— Regarde, lui dit Angus à un moment. Les mariés montent dans le carrosse.

— Venez, on va leur dire au revoir, proposa Érica.

Ils s'empressèrent de les rejoindre.

— Au revoir, professeur ! Au revoir, princesse ! lança Wiglaf.

— Au revoir ! répondit la princesse. Tu viendras me voir au château de Bactéria, d'accord, Wigounet ? Avec tes amis, bien sûr.

Mordred se fraya un chemin jusqu'au carrosse.

— Excusez-moi, princesse, mais comme c'est grâce à moi que vous êtes venue ici… je me demandais… La marmite d'or me revient, non ?

— Je n'ai pas épousé Wiglaf de Pinwick, donc je ne vous dois rien, répliqua la princesse.

— Mais… mais…, bégaya Mordred. J'ai avancé l'argent du banquet et…

La princesse sortit la main par la fenêtre pour lui tapoter la tête.

— Merci pour tout, Mordred ! s'exclama-t-elle.

Et sans plus attendre, le carrosse démarra, emportant le couple d'amoureux pour sa lune de miel.

— Je suis ruiné ! se désolait le directeur. Ruiné !

Ses yeux violets lançaient des éclairs. Il se tourna vers Wiglaf en rugissant :

— Tout est de ta faute !

— Comment ça, ma faute ?

— Si tu n'étais pas un massacreur de dragons roux nommé Wiglaf, rien de tout cela ne serait arrivé ! Je vais te jeter au cachot. Tu vas avoir droit à la chambre des tortures…

La bague quasi magique de Messire Lancelot se mit à clignoter, annonçant un danger imminent. Wiglaf fila sans demander son reste. Angus et Érica le suivirent. Ils savaient où se cacher en attendant que le directeur retrouve son calme : dans la bibliothèque !

Wiglaf se moquait bien que le directeur soit en colère. Ça faisait longtemps qu'il ne s'était pas senti aussi bien. Dorénavant, il allait vivre heureux et avoir beaucoup d'enfants euh… pardon, d'aventures !

Kate McMullan vit à New York. En 1975, elle a décidé de tenter sa chance en écrivant un premier livre. Vingt-cinq ans plus tard, elle a, sous différents pseudonymes ou en collaboration, plus de cinquante ouvrages pour la jeunesse à son actif. Pour *L'École des Massacreurs de Dragons*, elle reconnaît avoir puisé directement dans ses souvenirs de collégienne : « Chaque personnage s'inspire de quelqu'un que j'ai rencontré réellement, depuis ma meilleure amie au collège jusqu'à l'orthodontiste de ma fille ! » C'est pourquoi, quand elle se rend dans les écoles, Kate McMullan conseille aux apprentis écrivains de prendre pour point de départ leur propre vie et leurs propres expériences.

Bill Basso est né et a vécu longtemps dans le quartier de Brooklyn, à New York. Il vit à présent dans le New Jersey, avec sa femme et leurs trois enfants. Après des études d'art et de design, il a illustré de nombreux livres pour la jeunesse et collabore régulièrement à des revues destinées aux enfants.